迪士尼 流利阅读 第1级

DISNEY 迪士尼

冰雪奇缘

童趣出版有限公司编　人民邮电出版社出版

北　京

艾伦戴尔是一个遥远的北方王国，那里群山怀抱，

绿水环绕，是个忙碌又快乐的地方。每到入夜时分，神

秘梦幻的北极光轻柔地抚摸夜空，为美丽的王国披上

一层多彩的薄纱。

在这里，人民平安喜乐，但国王和王后却有着不为

人知的烦恼。

遥 纱
yáo shā

3

guó wáng hé wáng hòu de dà nǚ ér ài shā yǒu zhe fēi fán de mó lì
国王和王后的大女儿爱莎有着非凡的魔力，

tā néng qīng ér yì jǔ de bǎ dōng xi dòng zhù   hái néng yòng bīng xuě zhì zào gè
她能轻而易举地把东西冻住，还能用冰雪制造各

zhǒng qí huàn de jǐng xiàng   ér zhè yí qiè zhǐ xū yào tā huī hui shǒu
种奇幻的景象！而这一切只需要她挥挥手！

<ruby>魔<rt>mó</rt></ruby> <ruby>景<rt>jǐng</rt></ruby>

<ruby>小<rt>xiǎo</rt></ruby><ruby>女<rt>nǚ</rt></ruby><ruby>儿<rt>ér</rt></ruby><ruby>安<rt>ān</rt></ruby><ruby>娜<rt>nà</rt></ruby><ruby>是<rt>shì</rt></ruby><ruby>姐<rt>jiě</rt></ruby><ruby>姐<rt>jie</rt></ruby><ruby>的<rt>de</rt></ruby><ruby>贴<rt>tiē</rt></ruby><ruby>身<rt>shēn</rt></ruby>"<ruby>小<rt>xiǎo</rt></ruby><ruby>跟<rt>gēn</rt></ruby><ruby>班儿<rt>bānr</rt></ruby>"。<ruby>一<rt>yì</rt></ruby><ruby>天<rt>tiān</rt></ruby><ruby>晚<rt>wǎn</rt></ruby><ruby>上<rt>shang</rt></ruby>，<ruby>安<rt>ān</rt></ruby><ruby>娜<rt>nà</rt></ruby><ruby>说<rt>shuō</rt></ruby><ruby>服<rt>fú</rt></ruby><ruby>姐<rt>jiě</rt></ruby><ruby>姐<rt>jie</rt></ruby><ruby>和<rt>hé</rt></ruby><ruby>她<rt>tā</rt></ruby><ruby>一<rt>yì</rt></ruby><ruby>起<rt>qǐ</rt></ruby><ruby>溜<rt>liū</rt></ruby><ruby>进<rt>jìn</rt></ruby><ruby>王<rt>wáng</rt></ruby><ruby>宫<rt>gōng</rt></ruby><ruby>大<rt>dà</rt></ruby><ruby>厅<rt>tīng</rt></ruby>，<ruby>她<rt>tā</rt></ruby><ruby>们<rt>men</rt></ruby><ruby>在<rt>zài</rt></ruby><ruby>那<rt>nà</rt></ruby><ruby>里<rt>lǐ</rt></ruby><ruby>制<rt>zhì</rt></ruby><ruby>造<rt>zào</rt></ruby><ruby>了<rt>le</rt></ruby><ruby>一<rt>yí</rt></ruby><ruby>个<rt>gè</rt></ruby><ruby>美<rt>měi</rt></ruby><ruby>丽<rt>lì</rt></ruby><ruby>的<rt>de</rt></ruby><ruby>冰<rt>bīng</rt></ruby><ruby>雪<rt>xuě</rt></ruby><ruby>小<rt>xiǎo</rt></ruby><ruby>世<rt>shì</rt></ruby><ruby>界<rt>jiè</rt></ruby>！

zhèng dāng tā men wánr de gāo xìng shí　ài shā bù xiǎo xīn yòng bīng xuě mó
正当她们玩儿得高兴时，爱莎不小心用冰雪魔

fǎ jī zhòng le ān nà　ān nà yí xià zi dǎo zài dì shang　dòng de bù xǐng rén
法击中了安娜。安娜一下子倒在地上，冻得不省人

shì　tóu shàng de jǐ lǚ tóu fa jū rán yě biàn chéng le xuě yí yàng de bái sè
事，头上的几缕头发居然也变成了雪一样的白色！

ài shā xià huài le　gǎn jǐn dà shēng hū jiù
爱莎吓坏了，赶紧大声呼救。

jī	dǎo	hū	jiù
击	倒	呼	救

治伤消
zhì shāng xiāo

guó wáng hé wáng hòu tīng dào hū jiù shēng lián máng gǎn lái　　tā men dài zhe bù xǐng rén
国王和王后听到呼救声连忙赶来，他们带着不省人

shì de ān nà hé yì yán bù fā de ài shā lái dào le dì jīng jū zhù de dì fang　shén qí
事的安娜和一言不发的爱莎来到了地精居住的地方。神奇

de dì jīng zhī dào gè zhǒng mó fǎ　　néng zhì hǎo mó
的地精知道各种魔法，能治好魔

fǎ suǒ dài lái de shāng hài
法所带来的伤害。

yí wèi nián zhǎng de dì
一位年长的地

jīng zǐ xì de kàn le kàn ān
精仔细地看了看安

nà　　shuō tā kě yǐ bāng zhù
娜，说他可以帮助

8

tā hǎo qǐ lái　　　dàn qián tí shì bì xū xiāo chú tā jì yì zhōng guān yú
她好起来，但前提是必须消除她记忆中关于

jiě jie shǐ yòng bīng xuě mó fǎ de suǒ yǒu piàn duàn　　　tóng shí tā hái gào su guó wáng
姐姐使用冰雪魔法的所有片段。同时他还告诉国王

hé wáng hòu　　　ài shā de mó lì huì biàn de yuè lái yuè qiáng dà
和王后，爱莎的魔力会变得越来越强大。

tā de mó fǎ kě yǐ zhì zào měi lì de huàn jìng　　　dàn tóng shí yě huì
"她的魔法可以制造美丽的幻境，但同时也会

dài lái yì xiǎng bú dào de shāng hài　　　dì jīng duì guó wáng hé wáng hòu shuō
带来意想不到的伤害。"地精对国王和王后说，

tā de dí rén jiù shì zì jǐ nèi xīn de kǒng jù
"她的敌人就是自己内心的恐惧。"

妹控
mèi kòng

huí dào ài lún dài ěr wáng guó zhī hòu　guó wáng hé
回到艾伦戴尔王国之后，国王和
wáng hòu jiù xià lìng guānshàng le chéng mén　bú ràng liǎng gè nǚ
王后就下令关上了城门，不让两个女
ér chū qù　zhè yàng jiù méi yǒu rén huì fā xiàn ài shā de
儿出去。这样就没有人会发现爱莎的
mì mì le
秘密了。

jiě mèi liǎ yě bú zài xiàng cóng qián nà yàng qīn rè
姐妹俩也不再像从前那样亲热
le　dāng ài shā dú zì xué xí rú hé kòng zhì mó fǎ de
了。当爱莎独自学习如何控制魔法的
shí hou　ān nà zhǐ néng yí gè rén gū dú de wán shuǎ
时候，安娜只能一个人孤独地玩耍。

zhǐ yào ài shā de qíng xù yǒu bō dòng　mó fǎ jiù huì zì dòng shī zhǎn chū
只要爱莎的情绪有波动，魔法就会自动施展出

lái　guó wáng gěi le ài shā yí fù shǒu tào　lái bāng zhù tā kòng zhì mó lì　dàn
来。国王给了爱莎一副手套，来帮助她控制魔力。但

ài shā réng rán hěn dān xīn　zǒng pà zì jǐ huì wú yì jiān shāng
爱莎仍然很担心，总怕自己会无意间伤

hài dào bié rén　wèi le bǎo zhèng mèi mei píng ān wú shì　tā
害到别人。为了保证妹妹平安无事，她

shèn zhì bú zài jiē jìn mèi mei
甚至不再接近妹妹。

shī	tào	jiē
施	套	接

yāo xìng

邀幸

安娜很想念姐姐。一年又一年，
她总是不停地邀请姐姐和她一起玩儿，
可爱莎总是说自己很忙。

有一年，不幸的事情发生了。当
两个女孩成长为亭亭玉立的少女的时
候，国王和王后却因为一场大风暴而
命丧大海。没有了爸爸妈妈在身边，
孤单无助的两姐妹变得更加疏远了。

不知不觉，爱莎即将成年，作为长女，她要继承爸爸的王位，成为艾伦戴尔的女王！在一个晴朗的夏日，关闭已久的城门终于被打开了！人们都兴奋地涌进城里等着观看女王的加冕礼。

安娜满心欢喜地跑出了城，她终于能认识王宫外面来的人了！而且，说不定，她在这宝贵的一天中还有机会遇见自己的白马王子呢！

可是，爱莎却十分担心。作为众人关注的焦点，自己万一一紧张，魔法又不小心释放出来了可怎么办呢？那样她的秘密就会被大家发现了。

 jí 即　chéng 承　lǎng 朗　fèn 奋　yǒng 涌　jiāo 焦

ān nà zài wáng guó li jìn qíng yóu lǎn   wán shuǎ   zhè xiē
安娜在王国里尽情游览、玩耍。这些

nián wú liáo de chéng bǎo shēng huó kě bǎ tā gěi mèn huài le   zhè
年无聊的城堡生活可把她给闷坏了。这

shí   yí wèi shuài qì de lái bīn   lái zì nán fāng xiǎo dǎo de hàn
时，一位帅气的来宾——来自南方小岛的汉

sī wáng zǐ bù xiǎo xīn qí mǎ zhuàng dǎo le ān nà   zhè chǎng ǒu yù
斯王子不小心骑马撞倒了安娜。这场偶遇

ràng ān nà hé hàn sī hěn kuài jiù hù xiāngchǎnshēng le hǎo gǎn
让安娜和汉斯很快就互相产生了好感。

尽　览　偶

jiā miǎn lǐ shàng yán sù de qì fēn ràng ài shā gǎn dào shí fēn yǒu yā lì dào le
加冕礼上严肃的气氛让爱莎感到十分有压力。到了

yí jiāo shèng wù de huán jié ài shā bì xū zhāi xià shǒu tào qù ná xiàng zhēng huáng quán de
移交圣物的环节，爱莎必须摘下手套去拿象征皇权的

jīn qiú hé quán zhàng tā xīn li jǐn zhāng jí le yì zhí qī pàn zhe yí shì néng gòu shùn
金球和权杖。她心里紧张极了，一直期盼着仪式能够顺

lì wán chéng qiān wàn bú yào tū rán shī chū mó fǎ bǎ shèng wù dòng zhù
利完成，千万不要突然施出魔法把圣物冻住。

cǐ kè ān nà zhèng zhàn zài ài shā shēn biān tōu tōu de wàng zhe hàn sī ne
此刻，安娜正站在爱莎身边，偷偷地望着汉斯呢。

sù	jiāo
肃	交

xū	qī	pàn
须	期	盼

<ruby>在 zài</ruby><ruby>加 jiā</ruby><ruby>冕 miǎn</ruby><ruby>礼 lǐ</ruby><ruby>舞 wǔ</ruby><ruby>会 huì</ruby><ruby>上 shàng</ruby>，<ruby>安 ān</ruby><ruby>娜 nà</ruby><ruby>和 hé</ruby><ruby>汉 hàn</ruby><ruby>斯 sī</ruby><ruby>度 dù</ruby><ruby>过 guò</ruby><ruby>了 le</ruby><ruby>愉 yú</ruby><ruby>快 kuài</ruby><ruby>的 de</ruby><ruby>夜 yè</ruby>

在加冕礼舞会上，安娜和汉斯度过了愉快的夜晚，他们尽情地笑啊、跳啊，不停地聊着天。

"也许这就是一见钟情吧！"安娜想。接着，汉斯居然向她求了婚！幸福来得太突然了，安娜红着脸答应了。

19

jué wǔ

绝 舞

安娜连忙跑去告诉姐姐这个好消息，但爱莎的反应却出乎她的意料。"你不能嫁给一个你刚认识不久的人啊！"爱莎生气地说。

"当然能，因为这就是真爱！"安娜坚持道。

"我不同意！"爱莎坚定地回答道，"我是绝对不会同意你这样草率嫁人的。"

爱莎转身就要离开舞厅，可安娜一把抓住了她的手，而且还一不小心拉掉了爱莎的手套。

安娜开始不停地抱怨："你为什么总是反对我、冷落我、疏远我，对我的好意不理不睬？

我……我再也不想这样下去了！"

"够了！"气红了脸的爱莎突然大喊一声。

怨　利　寒
yuàn　lì　hán

接着，一道冷光从爱莎的手心发射出来，尖
jiē zhe　　yí dào lěng guāng cóng ài shā de shǒu xīn fā shè chū lái　jiān

利的寒冰顿时冻住了整个舞厅！在场的所有人都
lì de hán bīng dùn shí dòng zhù le zhěng gè wǔ tīng　zài chǎng de suǒ yǒu rén dōu

惊呆了。
jīng dāi le

kàn dào cǐ qíng cǐ jǐng   ài shā liú zhe yǎn lèi   tóu yě bù huí   fēi kuài
看到此情此景，爱莎流着眼泪，头也不回，飞快

de pǎo chū le wáng gōng   tā hài pà zì jǐ huì shāng hài dào bié rén   dōu lí
地跑出了王宫，她害怕自己会伤害到别人。"都离

wǒ yuǎn diǎnr   tā yì biān pǎo   yì biān duì chéng bǎo li de rén hǎn dào
我远点儿！"她一边跑，一边对城堡里的人喊道。

lèi   wān
泪　湾

 24

爱莎发疯似的奔跑着，所有被她碰到的东西
都变成了寒冰。当她跑向海湾，踏在水面上的时
候，脚下的海水都冻成了冰。寒冰向四周扩散，
把所有的船都冻在了海湾里！

hán bīng zì dòng màn yán kāi lái　　bù mǎn le zhěng gè wáng guó　　shì mín men dōu
寒冰自动蔓延开来，布满了整个王国，市民们都

hài pà jí le　　ān nà zhè xià zhōng yú míng bai　　ài shā zhè me duō nián dōu bú yuàn
害怕极了。安娜这下终于明白，爱莎这么多年都不愿

yì hé zì jǐ qīn jìn de yuán yīn le
意和自己亲近的原因了。

ān nà bǎ ài lún dài ěr wáng guó tuō fù gěi hàn sī　　zì jǐ qí shàng mǎ qù
安娜把艾伦戴尔王国托付给汉斯，自己骑上马去

zhuī ài shā　　tā yào bǎ jiě jie zhǎo huí lái　　xiǎng bàn fǎ ràng jiě jie bǎ hán bīng róng
追爱莎。她要把姐姐找回来，想办法让姐姐把寒冰融

huà　　zhěng jiù zhěng gè ài lún dài ěr wáng guó
化，拯救整个艾伦戴尔王国。

^{jiù zài zhè gè shí hou} ^{yí dù zi wěi qu wú chù sù shuō de ài shā pá dào le}
就在这个时候，一肚子委屈无处诉说的爱莎爬到了

^{shān dǐng shang} ^{nà lǐ méi yǒu rén yān} ^{tā bù xū yào gù jì rèn hé rén} ^{tā jiāng zhè}
山顶上。那里没有人烟，她不需要顾忌任何人。她将这

^{me duō nián lái de kǔ mèn zài zhè yí kè wán quán shì fàng chū lái} ^{jìn qíng shī zhǎn zhe mó}
么多年来的苦闷在这一刻完全释放出来，尽情施展着魔

^{lì} ^{zhì zào chū gè zhǒng bīng diāo} ^{xuě rén} ^{dà fēng bào} ^{shèn zhì hái wèi zì jǐ huàn}
力，制造出各种冰雕、雪人、大风暴，甚至还为自己换

^{shàng le yì shēn bīng xuě shā páo}
上了一身冰雪纱袍。

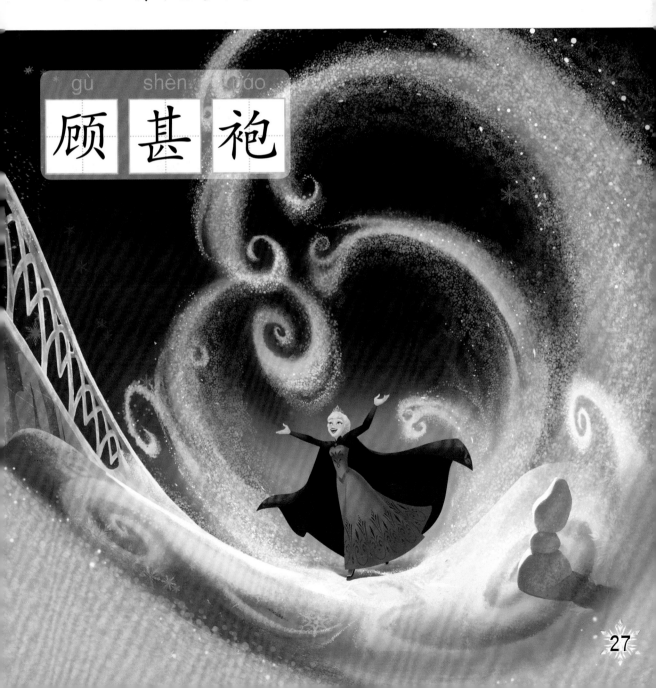

顾 甚 袍

在接近山顶的地方，爱莎用魔法制造了一个像水晶一样的冰雪宫殿。她感觉自己终于找到了自我。虽然她现在仍是孤身一人，但是心里却有一种从来没有过的快乐——那是一种找到自我的快乐。

而此时此刻，安娜只想快点儿和姐姐见面。既然爱莎的秘密已经被大家知晓了，她们就又可以像原来那样亲密地在一起了！

xiǎo
晓

<ruby>寻<rt>xún</rt></ruby> <ruby>困<rt>kùn</rt></ruby> <ruby>欣<rt>xīn</rt></ruby>

暴风雪让安娜寻找姐姐的道路变得格外困难，而且安娜的马还因为受到惊吓，把她扔到雪地里自己逃走了。安娜从雪地里爬起来，欣喜地看到不远处有个小木屋。

奥　暖　浅　其
ào　nuǎn　qiǎn　qí

在这个"流浪奥肯贸易站和桑拿房"中，安娜买了
长靴和保暖的衣物。

这时，一位叫做克斯托夫的年轻人深一脚浅一脚地
走了进来，他是个采冰人。他说他烦闷极了，这场突如
其来的暴风雪害得他没了生意。

kè sī tuō fū shuō　　zhè chǎng bào fēng xuě lái
克斯托夫说，这场暴风雪来

zì běi shān　　tīng dào zhè huà　　ān nà bù tíng de
自北山。听到这话，安娜不停地

chán zhe tā wèn dōng wèn xī　　xiǎng cóng zhōng dǎ tīng dào
缠着他问东问西，想从中打听到

guān yú jiě jie de xiāo xi
关于姐姐的消息。

chán　　bǔ　　yìng
缠　补　硬

ān nà tū rán xiǎng dào yí gè hǎo zhǔ yi　　　 tā zài mǎ jiù li zhǎo dào
安娜突然想到一个好主意，她在马厩里找到

le kè sī tuō fū hé tā de xùn lù sī tè　　　 bìng wèi tā men gòu mǎi le yì xiē
了克斯托夫和他的驯鹿斯特，并为他们购买了一些

bǔ jǐ pǐn　　zhī hòu　　　 tā kěn qǐng kè sī tuō fū dài tā dēng shàng běi shān
补给品。之后，她恳请克斯托夫带她登上北山。

zài ān nà de ruǎn mó yìng pào xià　　　 kè sī tuō fū zhōng yú tóng yì
在安娜的软磨硬泡下，克斯托夫终于同意

le　　 míng tiān tiān yí liàng wǒ men jiù chū fā
了："明天天一亮我们就出发！"

bù xíng　　　 ān nà shuō　　　 wǒ men xiàn zài jiù zǒu
"不行！"安娜说，"我们现在就走！"

33

在路上，安娜把在艾伦戴尔王国中发生的事情告诉了克斯托夫。克斯托夫觉得非常不可思议，他希望安娜能够说服爱莎把夏天带回来，那样人们就会重新需要他切割的冰块了。

突然，他们听到狼嚎的声音！

安娜与克斯托夫一起对付狼群。可是，狼群把驯鹿斯特逼到了悬崖边，斯特只有奋力跳过悬崖才能得救。情急之下，它纵身一跃，不料雪橇撞击在岩石上，摔了个粉碎。不过好在安娜、克斯托夫和斯特都平安无事。

sī	zòng	yuè	yán
思	纵	跃	岩

逃过一劫的安娜和克斯托夫继续前进，到了第二天破晓时分，他们终于看到了在远方山脚下若隐若现的艾伦戴尔王国。看到整个王国仍然处在冰天雪地之中，他们感到非常难过。走进树林深处，他们看到了爱莎用魔法为这里制造出的神奇景象。

　　　　　wǒ cóng lái yě méi xiǎng guò dōng tiān yě néng　　　　zhè me měi
“我从来也没想过冬天也能……这么美

lì　　　　　ān nà chī jīng de gǎn tàn dào
丽……”安娜吃惊地感叹道。

　　　　kě shì dào chù dōu bái máng máng de　　　　　yí gè shēng yīn xiǎng
“可是到处都白茫茫的……”一个声音响

qǐ　　tiān diǎnr yán sè duō hǎo a　　wǒ xiǎng yào shi yǒu shēn hóng sè　 huáng
起，“添点儿颜色多好啊！我想要是有深红色、黄

lǜ sè jiù tài hǎo le　　　zài tā men shēn hòu chū xiàn le yí gè huó shēng shēng
绿色就太好了！”在他们身后出现了一个活生生

de xuě rén
wǒ jiào xuě bǎo
tā xīng fèn de zì wǒ jiè shào zhe
yuán
的雪人！"我叫雪宝！"他兴奋地自我介绍着，原

lái tā jiù shì ài shā yǔ ān nà ér shí yì qǐ wánr xuě shí duī de nà gè xiǎo
来他就是爱莎与安娜儿时一起玩儿雪时堆的那个小

xuě rén ya
雪人呀！

ān nà qǐng xuě bǎo dài tā men qù zhǎo tā jiě jie
wǒ men xū yào ài
安娜请雪宝带他们去找她姐姐。"我们需要爱

shā bǎ xià tiān dài huí lái
tā shuō
莎把夏天带回来！"她说。

wǒ yì zhí dōu hěn xǐ huan xià tiān　　　tīng le ān nà de huà

"我一直都很喜欢夏天，"听了安娜的话，

xuě bǎo kāi shǐ xiǎngxiàng　　　wēn nuǎn de yáng guāng zhào zài wǒ liǎn shàng　　bǎ wǒ

雪宝开始想象，"温暖的阳光照在我脸上，把我

de pí fū shài chéng jiàn kāng de xiǎo mài sè　　　　kě ān nà hé kè sī tuō

的皮肤晒成健康的小麦色……"可安娜和克斯托

fū tīng zhe xuě bǎo de zhè xiē huà què xiǎng　　　xià tiān duì yú xuě rén lái shuō kě

夫听着雪宝的这些话却想：夏天对于雪人来说可

bù zěn me hǎo ba

不怎么好吧！

wēn

温

40

zài ài lún dài ěr wáng guó   hàn sī zhèng zài jìn lì ràng
在艾伦戴尔王国，汉斯正在尽力让

dà jiā bǎo chí lěng jìng   lái fǎng de guì bīn zhōng yǒu yí wèi gōng
大家保持冷静。来访的贵宾中有一位公

jué   yīn wèi bèi kùn zài zhè bīng tiān xuě dì zhī zhōng   tā biǎo xiàn
爵，因为被困在这冰天雪地之中，他表现

de fēi chángshēng qì
得非常生气。

这时，安娜的马独自回来了。"安娜公主肯定遇到麻烦了！"汉斯高声喊道，"我需要有人跟我一起去找她！"

公爵说他的手下可以加入寻找公主的队伍。

zhè biān ān nà fā xiàn tōng wǎng shān dǐng de xiǎo lù yuè lái yuè dǒu qiào
这边，安娜发现通往山顶的小路越来越陡峭

le xìng hǎo xuě bǎo zhǎo dào le yí dào bīng zuò de tái jiē zhè dào tái jiē
了。幸好雪宝找到了一道冰做的台阶，这道台阶

kě yǐ zhí jiē tōng wǎng ài shā de bīng xuě gōng diàn
可以直接通往爱莎的冰雪宫殿。

dāng tā men yán zhe tái jiē zǒu dào zuì gāo chù shí yǎn qián de jǐng xiàng
当他们沿着台阶走到最高处时，眼前的景象

lìng tā men wéi zhī jīng tàn wā ān nà zhēng dà yǎn jing dào xī yì
令他们为之惊叹！"哇！"安娜睁大眼睛倒吸一

kǒu qì dào zhè gè bīng xuě gōng diàn kě zhēn huá lì a
口气道，"这个冰雪宫殿可真华丽啊！"

dǒu	qiào	tàn	huá
陡	峭	叹	华

jìn le gōng diàn　　ān nà lián máng bēn xiàng jiě jie　　kě kàn dào ān

进了宫殿，安娜连忙奔向姐姐。可看到安

nà　　ài shā què gāo xìng bù qǐ lái　　tā dān xīn zì jǐ de mó fǎ huì shāng

娜，爱莎却高兴不起来。她担心自己的魔法会伤

hài dào ān nà

害到安娜。

　　ān nà　　nǐ kuài lí kāi zhè lǐ　　　　ài shā zháo jí de shuō

　　"安娜，你快离开这里！"爱莎着急地说，

wǒ huì gěi nǐ dài lái wēi xiǎn de

"我会给你带来危险的！"

46

安娜解释说艾伦戴尔王国此刻急需爱
莎的帮助。王国被冰雪覆盖，没人知道
怎样才能化解危机。听到这话，爱莎更
加害怕了。她只得承认她
不能让王国回到原来的样
子，因为她根本就不知道该怎么控制自己的魔力！

jiě

解

47

安娜确信只要她们能够在一起，就能想出解决的办法。可是爱莎却非常沮丧，心中充满挫败感的她又一次失去了理智，高声喊道："我不能！"

突然，一道寒光穿过屋子，击中了安娜。

què

确

克斯托夫赶紧冲过来，抱住了安娜。"我想我们还是先离开这儿吧！"他说。

"不走！她不走我也不走！"安娜坚持道。

"你赶紧走呀！"爱莎颤抖着流出眼泪，施展魔法变出了一个巨大的雪怪。

51

　　　　　wā　　　nǐ gěi wǒ zuò le gè dì di
"哇，你给我做了个弟弟！"

xuě bǎo gāo xìng de shuō　　　wǒ yào gěi tā qǐ míng jiào
雪宝高兴地说，"我要给他起名叫

mián huā táng
棉花糖！"

　　　　　ài shā mìng lìng xuě guài jiāng ān nà hé tā de tóng
爱莎命令雪怪将安娜和她的同

bàn men hù sòng dào shān jiǎo xià　　kě shì　　bèi ān nà
伴们护送到山脚下。可是，被安娜

yòng xuě qiú jī zhòng zhī hòu　　xuě guài gǎi biàn le zhǔ
用雪球击中之后，雪怪改变了主

yì　　jué dìng zhuī shàng tā men　hǎo hǎor　jiào xùn tā
意，决定追上他们，好好儿教训他

men yī dùn
们一顿！

安娜他们上气不接下气地跑到了悬崖边，在峭壁上系好了绳子，顺着绳子往下爬。可随后赶到的棉花糖用力往上拉绳子，想把他们拉上来。在这千钧一发之际，安娜做了她第一时间想到的事——把绳子割断！

护际

xìng hǎo xuán yá xià de xuě céng yòu hòu yòu ruǎn　　ān nà　　kè sī tuō fū hé
幸好悬崖下的雪层又厚又软，安娜、克斯托夫和

xuě bǎo cái méi yǒu shòushāng　　kě shì　　ān nà què yù dào le dà má fan　　　tā
雪宝才没有受伤。可是，安娜却遇到了大麻烦——她

de tóu fa yòu kāi shǐ biàn bái le
的头发又开始变白了。

shì bu shì yīn wèi tā yòng mó fǎ　jī zhòng le nǐ　　　kè sī tuō fū
"是不是因为她用魔法击中了你？"克斯托夫

wèn dào
问道。

kè sī tuō fū fēi cháng dān xīn ān nà　　tū rán　　tā xiǎng dào le yí gè bàn

克斯托夫非常担心安娜，突然，他想到了一个办

fǎ　　　　wǒ men děi qù jiàn jian wǒ de péng you men　　　tā shuō　　tā men kěn

法。"我们得去见见我的朋友们，"他说，"他们肯

dìng néng bāng shàng máng

定能帮上忙！"

在冰雪宫殿里，爱莎担心地走来走去，努力思考着怎么才能帮助艾伦戴尔王国度过危机。可她越想越伤心，魔力也就越无法控制，吹向艾伦戴尔王国的暴风雪也就越来越大……

天色已晚，克斯托夫带着安娜、雪宝和斯特来到一片
布满岩石的山谷里。克斯托夫说他的朋友们就住在这里。

突然，安娜觉得有几块"岩石"正在活动！

"是地精！"她喊了起来。

克斯托夫已经和地精们相处了很久，友好的地精就
像他的家人一样。他知道地精有办法帮助安娜。

看到安娜，地精们很兴奋，他们还以为
安娜是克斯托夫的女朋友呢！地精们觉得他
们俩简直就是天造地设的一对！

这时，一位上年纪的地精发现安娜受伤了。他说爱莎的冰魔法击中了安娜的心脏，安娜会在一天之内冻成冰雕。但拯救安娜并不是没有希望。"真爱可以融化心中的坚冰。"他用低沉的声音说道。

雪宝和克斯托夫决定送安娜回家。安娜爱上的汉斯王子肯定能够用一个真爱之吻解除魔法！

58

<ruby>与<rt>yǔ</rt></ruby><ruby>此<rt>cǐ</rt></ruby><ruby>同<rt>tóng</rt></ruby><ruby>时<rt>shí</rt></ruby>，<ruby>汉<rt>hàn</rt></ruby><ruby>斯<rt>sī</rt></ruby><ruby>率<rt>shuài</rt></ruby><ruby>领<rt>lǐng</rt></ruby><ruby>部<rt>bù</rt></ruby><ruby>队<rt>duì</rt></ruby><ruby>赶<rt>gǎn</rt></ruby><ruby>到<rt>dào</rt></ruby><ruby>了<rt>le</rt></ruby><ruby>冰<rt>bīng</rt></ruby><ruby>雪<rt>xuě</rt></ruby><ruby>宫<rt>gōng</rt></ruby><ruby>殿<rt>diàn</rt></ruby>。

<ruby>雪<rt>xuě</rt></ruby><ruby>怪<rt>guài</rt></ruby><ruby>棉<rt>mián</rt></ruby><ruby>花<rt>huā</rt></ruby><ruby>糖<rt>táng</rt></ruby><ruby>想<rt>xiǎng</rt></ruby><ruby>要<rt>yào</rt></ruby><ruby>保<rt>bǎo</rt></ruby><ruby>护<rt>hù</rt></ruby><ruby>女<rt>nǚ</rt></ruby><ruby>王<rt>wáng</rt></ruby>，<ruby>可<rt>kě</rt></ruby><ruby>是<rt>shì</rt></ruby><ruby>兵<rt>bīng</rt></ruby><ruby>们<rt>men</rt></ruby><ruby>却<rt>què</rt></ruby><ruby>不<rt>bú</rt></ruby><ruby>断<rt>duàn</rt></ruby><ruby>地<rt>de</rt></ruby><ruby>用<rt>yòng</rt></ruby><ruby>弓<rt>gōng</rt></ruby><ruby>弩<rt>nǔ</rt></ruby><ruby>向<rt>xiàng</rt></ruby><ruby>他<rt>tā</rt></ruby><ruby>射<rt>shè</rt></ruby><ruby>击<rt>jī</rt></ruby>。

<ruby>士<rt>shì</rt></ruby><ruby>兵<rt>bīng</rt></ruby><ruby>们<rt>men</rt></ruby><ruby>冲<rt>chōng</rt></ruby><ruby>进<rt>jìn</rt></ruby><ruby>冰<rt>bīng</rt></ruby><ruby>雪<rt>xuě</rt></ruby><ruby>宫<rt>gōng</rt></ruby><ruby>殿<rt>diàn</rt></ruby>，<ruby>公<rt>gōng</rt></ruby><ruby>爵<rt>jué</rt></ruby><ruby>的<rt>de</rt></ruby><ruby>手<rt>shǒu</rt></ruby><ruby>下<rt>xià</rt></ruby><ruby>径<rt>jìng</rt></ruby><ruby>直<rt>zhí</rt></ruby><ruby>奔<rt>bèn</rt></ruby><ruby>到<rt>dào</rt></ruby><ruby>爱<rt>ài</rt></ruby><ruby>莎<rt>shā</rt></ruby><ruby>面<rt>miàn</rt></ruby><ruby>前<rt>qián</rt></ruby>，<ruby>想<rt>xiǎng</rt></ruby><ruby>要<rt>yào</rt></ruby><ruby>抓<rt>zhuā</rt></ruby><ruby>住<rt>zhù</rt></ruby><ruby>她<rt>tā</rt></ruby>。

爱莎施展魔法造出了一面巨大的冰墙，把公爵的一名手下推到了阳台边上，紧接着又立即释放出无数尖利的冰柱，把公爵的另一名手下钉在了墙上。

这时，只听汉斯喊道："别真的让自己变成他们想象中的怪物啊！"

爱莎这才意识到，自己的魔法已经施展得太多了。她赶紧放下手，公爵的手下才得以逃命。

可他们刚刚安全，就又举起弓弩对准了爱莎！

汉斯赶紧冲过去，使劲推了一把弓弩，箭射在了吊灯上。吊灯瞬间从天花板上掉落，砸在了爱莎身上。爱莎一下子晕了过去。

shùn　bǎn

瞬板

爱莎醒来之后，发现自己被关在冰冷的城堡的牢房里。她朝窗外望去，惊恐地发现她的魔法竟然给王国带来了这么严重的灾难。

爱莎连忙问汉斯，安娜在哪儿，汉斯告诉她，安娜迷失在大雪中，已不知所踪了。

牢 láo
踪 zōng

克斯托夫、雪宝正带着安娜飞奔下山。安娜的
情况变得越来越糟糕，这可把克斯托夫急坏了。

终于，他们来到了城堡门口，克斯托夫将安娜
托付给了皇家女佣。就在放手的那一刻，克斯托夫
突然发现自己是如此担心安娜，可是他心里明白，
只有安娜的真爱——汉斯才能拯救她的生命。

女佣们赶紧带安娜来到图书馆，汉斯正在那里与高官们商谈。

安娜发着抖，上气不接下气地向汉斯讲了爱莎的冰魔法是如何击中她，只有汉斯的真爱之吻才能拯救她的事情。

"只有真心爱我的人才能救我！"安娜急切地说道。

67

jiāo

浇

但是汉斯的反应却出人意料。"哦，安娜，"汉
斯冷笑了一声，"那你得先找到你的真爱才行啊！"

汉斯用水浇灭了壁炉里的炉火，对安娜说，自
己之所以要向安娜求婚，完全是为了夺取艾伦戴尔
王国的皇权。现在他唯一要做的，就是除掉爱莎。

"夏天会回来的，王国也一定会是我的！"汉
斯的脸上露出了阴险的神色。

“你休想！”安娜刚要反抗，就一下子倒在了地上，寒冰正在她的身体里蔓延开来，她觉得冷极了。

安娜被关在图书馆里，这时她才意识到自己是多么草率。为了寻找爱情，她不但害了自己，还害了姐姐。

háo

号

汉斯来到高官那里，摆出了伤心的表情，告诉他们爱莎杀死了安娜。他还说安娜死前是如何与他互诉婚誓的。

"我要以叛国罪判处爱莎女王死刑！"汉斯哭号着宣布道。

在牢房里，爱莎唯一想到的就是要想办法赶紧离开艾伦戴尔王国，只有这样才能保证每个人都不会受到她魔法的伤害。由于爱莎太失望、太难过了，她的魔法竟然冻住了整个牢房。爱莎赶忙砸开冻脆的铁栏杆，从窗子逃了出去。

就在此时，克斯托夫正朝着山顶走去。而
斯特却不停地拉住他，让他停下，因为它知道，
其实克斯托夫才是真心爱着安娜的那个人！

突然，克斯托夫看到艾伦戴
尔王国上空刮起了更大的暴风
雪，他赶紧掉头朝王国跑去，他
要去救安娜！

当安娜已经失去希望的时候，雪宝及时赶到了。小雪人重新点燃壁炉里的柴火，温暖安娜快冻僵的身体。而令安娜担心的是，雪宝的身体却在一点一点融化。

"有些人值得我为她融化！"雪宝说道，"不过

现在我还不能，我们还有事情没有完成呢。"

雪宝望向窗外，他看到克斯托夫正朝这边赶来。雪宝也意识到，克斯托夫才是安娜的真爱，只有克斯托夫才能拯救安娜！

^{xuě bǎo bāng zhù ān nà táo chū chéng bǎo} ^{ān nà kàn dào kè sī tuō fū zhèng}
雪宝帮助安娜逃出城堡，安娜看到克斯托夫正

^{chuān guò bīng dòng de hǎi wān} ^{rú guǒ tā néng gòu jí shí lái dào kè sī tuō fū shēn}
穿过冰冻的海湾。如果她能够及时来到克斯托夫身

^{páng} ^{tā jiù néng gòu dé jiù le}
旁，她就能够得救了！

^{kě shì} ^{tā yòu kàn dào lìng yí gè lìng rén zhèn jīng de chǎng miàn} ^{zài yì}
可是，她又看到另一个令人震惊的场面：在一

^{sōu pò chuán biān} ^{hàn sī zhèng shǒu chí lì jiàn} ^{zhǔn bèi shā sǐ ài shā}
艘破船边，汉斯正手持利剑，准备杀死爱莎！

安娜用尽全力，冲到爱莎身前，

伸手去挡汉斯劈下来的利剑。就在这一

刻，安娜化作了冰雕。汉斯手起剑落，

一下子劈在了她身上。

zhǐ tīng dāng de yì shēng bǎo jiàn suì chéng le jǐ piàn
只听"当"的一声，宝剑碎成了几片。

爱莎愣住了，她伸开双臂，紧紧抱住了变成冰雕的妹妹。"哦，不要！安娜！"她大哭起来。

就在这时，奇迹发生了：安娜开始融化了！

"为了我，你居然连自己的生命都不要了？"爱莎惊讶地问。

"因为我爱你呀，姐姐。"安娜微笑着回答。

"一个真正爱你的人真的可以融化你心中的寒冰呢！"雪宝在一旁补充道。雪宝的这句话充满哲理。

zhè shí　　ài shā yě míng bai le zhǐ yǒu ài de lì liàng cái néng dài huí xià

这时，爱莎也明白了只有爱的力量才能带回夏

tiān　　tā jǔ qǐ shuāng bì　　shī zhǎn mó fǎ　　jī xuě guǒ rán jiàn jiàn xiāo róng

天。她举起双臂，施展魔法，积雪果然渐渐消融。

ài lún dài ěr wáng guó de jū mín dōu gāo xìng jí le

艾伦戴尔王国的居民都高兴极了。

kě shì　　xuě bǎo yě màn màn róng huà le　　ài shā gǎn jǐn shī zhǎn mó

可是，雪宝也慢慢融化了！爱莎赶紧施展魔

fǎ　　wèi tā zhì zào le yì xiǎo piàn bào fēng xuě　　zhè yàng tā jiù néng yì zhí péi

法，为他制造了一小片暴风雪，这样他就能一直陪

bàn zhe liǎng jiě mèi le

伴着两姐妹了！

看到安娜还活着，汉斯很是吃惊。"可是……安娜，"他说，"爱莎不是冻住了你的心吗？"

"这里唯一冷若寒冰的心就是你的！"

安娜说着，一拳把汉斯打进了海里。

liàng

量

航 háng　待 dāi

夏天回来了，来访宾客的航船都已启程，艾伦戴尔王国又恢复了往日的美丽——不过，城堡的大门从此将永远打开，爱莎女王和安娜公主再也不会只待在城堡里了！

安娜送给克斯托夫一架新雪橇，还帮他买齐了雪橇上的全部装备。可克斯托夫一点儿也不着急离开，因为，安娜刚刚送给了他一个惊喜之吻！

爱莎用魔法在城堡里造了个溜冰场，并且
欢迎王国里所有的民众过来溜冰。大家和爱莎女
王、安娜公主一起愉快地溜着冰，享受着欢乐自由
的时光。

就这样，艾伦戴尔王国又变回了原来那个平
和宁静、充满欢笑的幸福国度！

冰雪奇缘

阅 读 理 解

◆ 小时候，安娜被爱莎的冰雪魔法击中，是谁治好了她？

　　A. 地精　　　　　　B. 汉斯王子　　　　　　C. 爱莎

◆ 是谁带安娜上北山找到了爱莎？

　　A. 汉斯王子　　　　B. 克斯托夫　　　　　　C. 地精

你能从文中找出描写爱莎施展魔法的句子吗？

_____

_____

_____

你能从文中找出描写冰雪景色的句子吗？

_____

_____

_____

阅 读 理 解

如果给你一次机会，你想分别对她们说些什么呢？

冰雪奇缘

生字表

页数	生字	组词	页数	生字	组词
P2	戴 dài 绕 rào 碌 lù 抚 fǔ	爱戴、穿戴 围绕、环绕 忙碌、碌碌无为 抚摸、抚平	P11	绪 xù 副 fù	情绪、头绪 一副、副本
P4	需 xū	需要、需求	P13	暴 bào 丧 sàng 疏 shū	暴雨、暴躁 丧失、沮丧 疏远、疏忽
P5	溜 liū	溜走	P14	冕 miǎn	加冕、卫冕
P6	缕 lǚ	一缕	P15	释 shì	释放、解释
P9	忆 yì 段 duàn 境 jìng 恐 kǒng 惧 jù	回忆、追忆 段落、一段 环境、困境 恐惧、恐怕 惧怕、无惧	P16	聊 liáo 堡 bǎo 斯 sī	聊天、无聊 城堡、汉堡 斯文、俄罗斯
P10	孤 gū	孤独、孤单	P18	氛 fēn 权 quán 杖 zhàng	气氛、氛围 权利、政权 权杖、拐杖

冰雪奇缘

生 字 表

页数	生字	组词	页数	生字	组词
P19	婚 hūn	结婚、婚礼	P33	厩 jiù	马厩
				驯 xùn	驯服、驯鹿
P21	嫁 jià	出嫁、嫁接		恳 kěn	诚恳、恳求
	持 chí	支持、保持		磨 mó	磨练、磨合
	率 shuài	率领、率先	P35	逼 bī	逼迫、逼真
P26	蔓 màn	蔓延、藤蔓		崖 yá	悬崖、山崖
	融 róng	融合、融化		橇 qiāo	雪橇
	拯 zhěng	拯救		撞 zhuàng	撞倒、碰撞
P27	忌 jì	顾忌、忌讳		摔 shuāi	摔碎、摔跤
	雕 diāo	雕刻、雕塑	P37	劫 jié	劫难、打劫
P28	殿 diàn	宫殿、殿堂		隐 yǐn	隐藏、隐蔽
P31	贸 mào	贸易、外贸	P38	茫 máng	茫然、白茫茫
	靴 xuē	靴子、马靴	P40	肤 fū	皮肤、肤色

页数	生字	组词	页数	生字	组词
P42	jué 爵	爵位、爵士	P61	dìng 钉	钉扣子
P47	fù 覆	覆盖、覆灭	P62	jiàn 箭	弓箭、火箭
				yūn 晕	晕倒、眩晕
P49	jǔ 沮	沮丧	P64	zāi 灾	灾难、灾祸
	cuò 挫	挫败、挫折			
	zhì 智	智慧、智能			
P51	chàn 颤	颤抖、颤动	P65	yōng 佣	女佣、佣工
P52	xùn 训	教训、训练	P67	tán 谈	交谈、谈话
P53	jūn 钧	千钧一发	P69	lú 炉	火炉、炉子
				wéi 唯	唯一、唯独
P54	hòu 厚	厚重、厚道			
P58	zàng 脏	心脏、内脏	P71	shì 誓	誓言、发誓
	wěn 吻	亲吻、吻合		pàn 叛	叛变、背叛
				zuì 罪	犯罪、罪行
P60	nǔ 弩	弓弩		pàn 判	裁判、判处
				xíng 刑	刑罚、刑警

冰雪奇缘

生 字 表

页数	生字	组词	页数	生字	组词
P76	震 (zhèn) 剑 (jiàn)	震撼、地震 宝剑、剑术	P83	拳 (quán)	拳头、打拳
P78	劈 (pī)	劈脸、劈头	P85	启 (qǐ)	启动、启发
P81	哲 (zhé)	哲理、哲学	P86	享 (xiǎng)	享受、分享

冰雪奇缘

流利阅读第 1 级总字表

本字表为现行小学一至二年级语文课本总字表，按在课文中出现的顺序排列。

识 字 一 去 二 三 里 课 文 原 烟 村 四 五 家 亭
台 六 七 座 八 九 十 枝 花 口 耳 目 羊 鸟 兔 日
月 火 木 禾 竹 在 沙 发 茶 几 报 纸 书 架 灯 挂
钟 电 视 话 晚 上 爸 看 妈 我 给 他 们 送 水 果
笑 了 也 操 场 打 球 拔 河 拍 皮 跳 高 跑 步 踢
足 铃 声 响 下 真 热 闹 天 锻 炼 身 体 好 季 草
芽 尖 对 小 说 是 春 荷 叶 圆 青 蛙 夏 谷 穗 弯
鞠 着 躬 秋 雪 人 大 肚 子 挺 顽 地 就 冬 排 画
中 游 顺 流 儿 唱 鱼 两 岸 树 密 苗 绿 油 江 南
米 乡 哪 房 最 漂 亮 本 的 夜 白 墙 棵 门 窗 前
香 屋 后 成 行 要 数 学 堂 闪 和 有 明 到 穿 暖
衣 裳 不 冷 撑 开 色 伞 静 锦 思 床 阳 光 疑 霜
举 头 望 低 故 船 坐 只 见 条 星 蓝 晨 像 金 洒
遍 田 野 山 因 为 更 面 长 扁 缎 早 左 拉 帘 进
谁 捉 住 比 宝 贵 影 常 跟 多 黑 狗 鸭 右 陪 它
朋 友 尾 巴 短 把 猴 松 鼠 洗 公 鸡 颗 孔 雀 黄
牛 猫 杏 桃 苹 红 枣 个 边 阿 少 群 笔 堆 自 选
商 包 奶 腿 肠 牙 品 毛 巾 辣 粉 铅 脑 尺 作 业
东 西 从 货 些 食 菜 收 空 越 姨 用 豆 很 快 算
出 付 钱 买 方 便 迷 园 茄 想 椒 瓜 片 角 萝 卜
卷 心 柿 细 又 笼 林 藏 嘴 仪 老 紫 沿 风 鲜 土
尘 灭 力 男 休 手 广 森 众 你 告 诉 壮 路 能 走
遥 远 北 京 城 安 半 升 旗 祝 式 非 呢 观 雨 点
清 云 彩 飘 落 来 爱 空 问 回 答 忘 没 久 平
搭 积 借 醒 枕 放 布 乐 怎 饭 班 拿

流利阅读第1级总字表

本字表为现行小学一至二年级语文课本总字表，按在课文中出现的顺序排列。

玩 知 教 轻 邓 致 以 关 近 浩 乎 做 舒 伙 捧 将 鼻 工 各 袁 柔 哭 割 咬 校

让 甜 丽 线 欢 站 赛 改 孟 胖 痒 窝 珍 急 蒙 捂 围 睁 池 晴 鸣 坡 蛇 街

鸿 哎 束 纺 英 铁 填 精 修 居 鸢 挠 脱 病 焦 埋 眉 同 双 所 阴 莲 假 蚊 太

嵇 晴 激 娘 蒲 握 挥 妙 叫 晓 趁 帮 顾 定 皱 领 请 微 惜 嘻 虫 虎 新

者 眼 动 姑 莺 注 移 全 射 首 忙 润 午 扇 凉 秃 嗡 招 丢 捡 随 立 蹲 法 哗 傻

孩 合 直 要 鹃 引 柏 处 频 古 散 姥 盖 糕 忽 苍 眨 权 如 蝇 失 呱 萤 壁 转

今 旺 年 絮 杜 龄 挑 亲 肯 气 归 钻 扇 凉 秃 嗡 招 丢 捡 随 立 蹲 法 哗 傻

总 烧 舍 滴 岁 息 肯 意 容 时 秘 蹈 醉 绢 干 女 蛋 忽 苍 眨 权 如 蝇 失

物 柴 满 软 麻 坛 仍 盹 醉 鞋 湿 郊 泼 壶 严 餐 鸣 唐 罐 欲 槛 停 根 篮 拨

礼 添 造 澡 淋 拂 露 入 音 杨 拖 愉 活 慢 认 师 鹿 帛 唐 坪 腰 搬 甩 别 消

按 赶 砍 瞧 无 珠 脸 完 议 露 堤 替 被 咦 队 聪 活 慢 垃 壶 严 蕉 捕 坪 腰

往 觉 变 雷 底 万 汗 士 咿 提 鼎 贴 晒 伸 户 向 石 扫 备 饮 槛 停 根 篮 拨

正 累 化 柳 题 难 额 战 剧 劳 啼 刚 照 脚 离 投 卵 车 准 塑 振 晶 趴 挎 逃

她 听 却 册 趣 令 坑 栽 换 疲 闻 张 棉 摆 悄 抬 鹅 辆 专 喊 骑 摇 蚁 沾 断

装 歌 救 级 论 节 挖 扶 啥 稿 眠 兰 情 于 垫 佛 先 推 绍 齐 牧 蜓 蚂 潮

起 舞 道 版 争 植 勃 连 掉 写 然 喜 事 服 医 仿 茂 袋 介 摸 枚 蜻 惊 闷 挣

司重解害翠祖狮莎继蚜潜术污通咱蹬怕勤脖豌君委演烂蠹奥店浅伤惹第

渐柱命当碧希担玛盆煮魔速神板披湖雁巨洼傲李计灿阔申湾喂踪泄期

瓶堵革枪稻充饿应掰表浪叠浮轨怨追咚梁臂甲犹困悔奋庄克治功筝椅轮

渴曹导突坦界肥靠夹丝波折悬驾弟龟咕残牵决央厦泪邻易傍之

喝官席圈菇世施凭管拥遇哝磁名耐迎愧梨纷菊倦叹及亿优击盯示但兽

鸦国坝伏蘑贺翻吞保盛程稳制梦忍惭鲤读胳乘擎除迟普曲迹互藤绳糙句

乌象洲荡采淌灰洋记规梁巧燃创卫蚪孙朗峭娃尽院欠赞奏胜相芦凳受

哦称瑞敌贝吹度懒汽分桥薄内脊与蝌坏图陡降轼踮哈利鸽川华葫号獾吵

该破井哨赤馆敬另共育且划蒸建缚骨戚抱盘旅苏丁元纵洁案呼际夫猬福

僵砸量军滩技哇苦概培而驶砸擦扔仙岩刘株零始帜拼锣错纤硬幸

冻劲舷助虾科理撕粗宣俩顶弄至唠跌疼扛其状赠集蔼献似聚百秧待莓

温使沉团艘楼敢扑娜并咧砖励朝睐斗噔玉尤形察径切祥庆毯涌盼吸迫扎

尝块冲王海市勇滚糟臣瓢璃厢型缠腾嘭狸省弹炸橘宁怦责荫传银抽莴盒

伴吓杀念涛骏丰习矿咐叔玻璃厢型缠腾嘭狸省弹炸橘宁怦责荫传银抽莴盒

邀慌秤刻部匹羽练背吩蹦实驰环兄镳玲狐徽抢啪橙室览负纪讯接虽葡桌

熟缸杆碑雄奔由整维承啄特列染脾扬紧极区著英须补冒肩民运橱呗酸吐

冰雪奇缘

流利阅读第1级总字表

本字表为现行小学一至二年级语文课本总字表，按在课文中出现的顺序排列。

熬寻州蓬幻黎退历厂
惯健寄跃峦袍钩史织
眯康费灵攥碰牢鳞溶
郑嬉寨棱企鼋网核泥
亚戏偶护跨倒件缺苗
呆则章巢甚哩喷乏禁
猜昨鬟崭死返设稀
拎裙牌父宇殊农
周镶客澈篇航贡
叽纱何缓雾必器杂
喳美汪侧喃绑博产
代慕伦纹恩辨养
逗套舟欣味即悉棚
良份踏赏浓稍绝模
缩妹潭镜瞬咳肉确
粒族千映猎嗽鲟控